D1410195

Made in the USA
Monee, IL
22 April 2022

95190118R00070